LES MONSIEUR MADAME explorent la jungle

Publié pour la première fois par Egmont sous le titre *Mr. Men Adventure in the Jungle* en 2017.

LES MONSIEUR MADAME explorent la jungle

Roger Hargreaves

Écrit et illustré par Adam Hargreaves

Monsieur Nigaud se promenait dans la forêt
avec ses amis.

Malheureusement, plus ils avançaient dans les bois,
plus ils se perdaient.

Bientôt, ils arrivèrent devant un carrefour et monsieur
Nigaud fut incapable de se souvenir quel chemin
ils devaient prendre.

Devaient-ils prendre le chemin de gauche ?

Ou bien celui de droite ?

Mais celui de droite n'était sans doute pas le bon.

Alors, monsieur Nigaud décida qu'ils devaient
prendre à gauche.

Avec ses amis, il marcha, marcha, marcha longtemps.

Mais plus ils marchaient, plus la forêt devenait sombre et épaisse.

– Moi, je pense que nous ne sommes plus dans la forêt, déclara madame Sage. En fait, nous sommes dans la jungle !

– Qu'est-ce qui vous fait penser ça ? demanda monsieur Nigaud.

– Il y a un gorille, là-bas ! s'écria monsieur Peureux, tremblant de peur.

– Et là, un éléphant ! ajouta madame Bonheur.

– Et ça, c'est un tigre ! remarqua monsieur Costaud.

– Oh, là, là ! répondit monsieur Nigaud.
Nous sommes perdus dans la jungle.

Soudain, le tigre bondit vers lui en rugissant.

Monsieur Costaud lui barra la route et le tigre se heurta à monsieur Costaud.

Se cogner contre monsieur Costaud, c'est comme se cogner contre un mur de briques… Ça fait mal !

La jungle était épaisse, les lianes très emmêlées et les racines des arbres poussaient si près les unes des autres qu'il était vraiment très difficile de se frayer un chemin.

Il fallait bien toute la force de monsieur Costaud pour y arriver !

Il faisait chaud. Chaud et humide.

Monsieur Nigaud avait mal à la tête.

Et la nuit tombait…

Et ce fut une très mauvaise nuit
pour monsieur Nigaud et ses amis.
C'était tellement bruyant
qu'ils ne purent fermer l'œil.

Les grenouilles faisaient *croa ! croa ! croa !*

Les insectes faisaient *bzz ! bzz ! bzz !*

Et les chauves-souris couinaient.

Mais les choses ne s'arrangèrent pas une fois le soleil levé.

Ce fut même pire !

Un serpent énorme s'était enroulé autour du groupe.

Monsieur Peureux étouffa un petit cri.

Ce fut monsieur Rêve qui les sauva. Il se mit à siffler doucement comme une flûte et petit à petit, il réussit à charmer le serpent et à l'endormir.

C'est à ce moment-là que tous les autres purent se libérer de son emprise.

– Tout est trop grand dans la jungle, ronchonna madame Petite. Même les papillons sont immenses !

– Mais ils sont si beaux ! répondit madame Bonheur.

– Et regardez la taille de ces fleurs ! s'exclama monsieur Curieux. Elles sont gigantesques ! Je me demande si elles sentent bon…

Et il fourra son long nez dans
la fleur géante.

– Pouah ! cria-t-il. Mais ça pue !

Tous continuaient d'avancer péniblement à travers la jungle quand soudain, madame Acrobate leva le nez en l'air et observa les branches des arbres.

– Regardez les singes qui se balancent d'arbre en arbre ! dit-elle. C'est comme ça qu'il faut faire !

Et elle avait raison !

Se balancer de liane en liane se révéla bien plus facile pour avancer.

Même si monsieur Chatouille n'avait pas vraiment besoin de lianes !

Mais ils étaient toujours perdus. Aussi perdus que la Cité perdue qu'ils découvrirent. La cité était pleine d'escaliers, de ruines, de grottes sombres et d'étranges statues.

– Au secours ! s'écria monsieur Peureux avant de… s'évanouir.

Mais parmi les ruines, se trouvaient un temple.

– Si on arrive à grimper au sommet de ce temple, on pourra voir où on se trouve, suggéra madame Sage.

Tout en haut, la vue était superbe et ils pouvaient admirer le paysage à des kilomètres à la ronde.

Non loin, ils remarquèrent
une rivière… une rivière qui pourrait
les conduire loin de la jungle.

Au bord de la rivière, ils dénichèrent des canoës.

Ils montèrent dedans et se mirent à pagayer pour rentrer.

– Dites donc, qu'est-ce qu'il y a comme troncs d'arbre dans l'eau ! remarqua monsieur Nigaud.

– Ce ne sont pas des troncs d'arbre, ce sont des crocodiles ! s'écria monsieur Peureux en grelottant de peur.

Il trembla et tangua tellement dans son canoë
que l'embarcation se retourna ! Plouf !

– Au secours ! hurla-t-il tandis qu'un gros crocodile
se dirigeait vers lui, la bouche grande ouverte montrant
ses énormes dents aiguisées.

Heureusement, monsieur Peureux partageait sa barque avec monsieur Bruit.

Monsieur Bruit ouvrit sa bouche aussi grande que celle du crocodile et poussa un cri aussi assourdissant…

… qu'un train dans un tunnel.

… que le décollage d'un Boeing 747.

… qu'un marteau-piqueur dans une cabine téléphonique.

Effrayé, le crocodile fit un bond dans l'eau et nagea à toute allure dans l'autre direction pour s'éloigner au plus vite de cet horrible bruit.

Monsieur Bruit sourit et il remonta avec monsieur Peureux dans le canoë.

Ils ramèrent longtemps, puis ils finirent par rentrer
chez eux.

Et chez eux, c'était beaucoup plus calme et silencieux.

Les insectes étaient bien plus petits et il n'y avait pas
de lianes emmêlées pour les faire trébucher, ni d'animaux
dangereux capables de les dévorer !

– Quel soulagement d'être enfin de retour !
dit monsieur Nigaud.

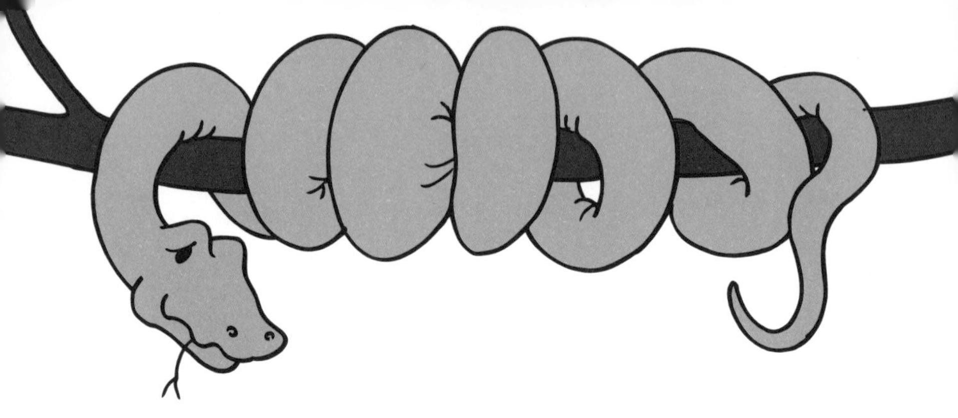

Et quelque part, très loin de là, dans la jungle épaisse, tous les animaux sauvages poussèrent eux aussi un grand soupir de soulagement !

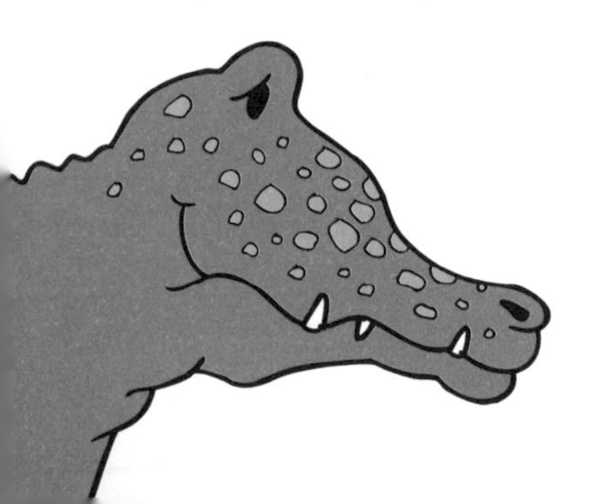

RÉUNIS VITE LA COLLECTION ENTIÈRE

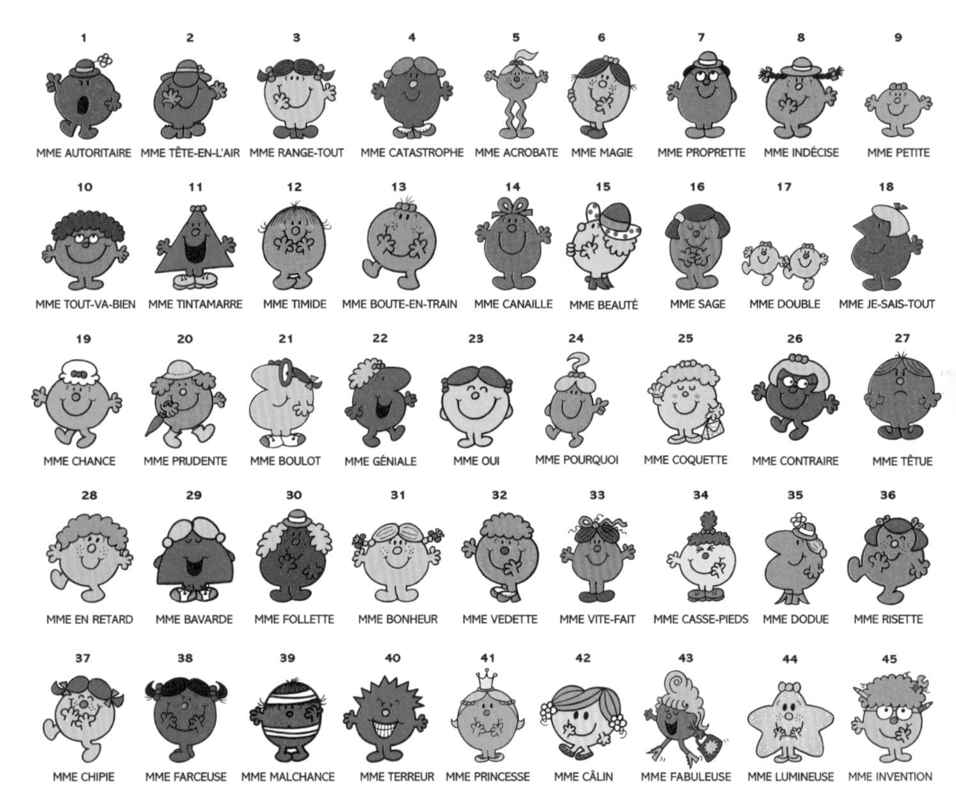

DES **MONSIEUR MADAME**

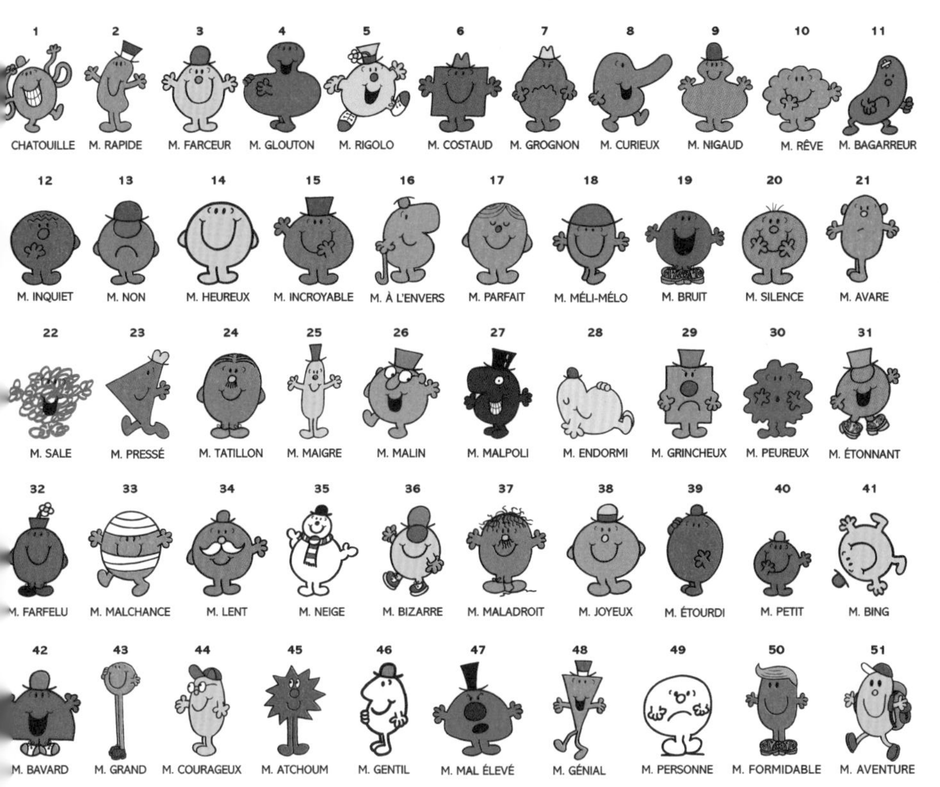

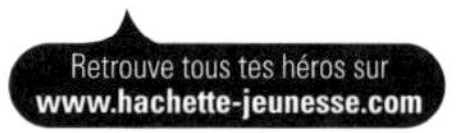

Traduction : Anne Marchand Kalicky.
Édité par Hachette Livre, 58 rue Jean Bleuzen 92178 Vanves Cedex.
Dépôt légal : mars 2017.
Loi n° 49-956 du 16 juillet 1949 sur les publications destinées à la jeunesse.
Achevé d'imprimer par Canale en Roumanie.